KU-032-182

Beatrice Masini

Menthe aux grands pieds

Dédié à une petite fille de Marseille
Croisée un jour de plein soleil
Dans une église abandonnée :
La petite fille aux très grands pieds
Et qui semblaient encore plus grands
Du fait de ses jolis souliers blancs.
Que ces grands pieds
Te mènent loin
Drôle de petite fille de Marseille
Car tu as en toi des merveilles.

Cet ouvrage a initialement paru en langue italienne en 2010
sous le titre *La bambina con i piedi lunghi.*

Traduction : Anouk Filippini

Illustrations : Desideria Guicciardini

Mise en page : Audrey Thierry

Hachette Livre, 43 quai de Grenelle, 75015 Paris

Beatrice Masini

Menthe aux grands pieds

Belle, intelligente et courageuse ?
Mais oui, c'est Menthe !

Parfois, les mamans et les papas oublient comment on est vraiment, nous, les enfants, et ils voudraient qu'on soit différents. Ils voudraient qu'on soit mieux : plus sérieux, plus doux, plus téméraires, plus tout ce que nous ne sommes pas. Parfois, les mamans et les papas devraient se souvenir que nous aussi, on aimerait bien qu'ils soient un peu plus comme on les voudrait, nous. La différence, c'est que généralement, nous, on ne leur dit pas. Ils ne le supporteraient pas.

Chapitre premier

Dans lequel on apprend de quoi parle cette histoire

D'une certaine manière, tout est déjà dans le titre : c'est l'histoire d'une petite fille qui a de très grands pieds.

Si c'était une petite fille de chez nous et de notre époque, on pourrait dire qu'elle a

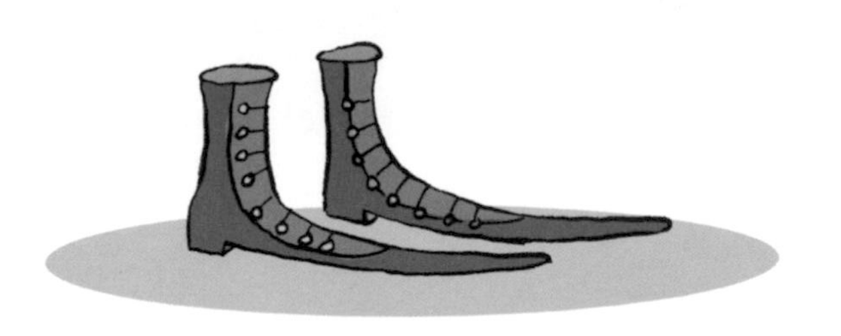

huit ans et qu'elle chausse déjà du 38, ce qui est incontestablement une pointure de chaussures adulte. Mais comme cette histoire se déroule à une époque qui n'est pas la nôtre, et dans un endroit où les pointures sont différentes de celles que nous utilisons, nous dirons, comme on le dit chez elle, qu'elle a huit ans et que ses pieds sont longs comme des perches.

Bien sûr, c'est une façon de parler, puisqu'une perche est un très long bâton. Mais bon, l'image est parlante. En plus de ses pieds longs comme des perches, la petite fille a un nom : elle s'appelle Menthe.

Maintenant qu'on a dit tout ça, on peut essayer de raconter son histoire.

Raconter comment de très grands pieds peuvent constituer un obstacle. Ou pas.

Comment ces très grands pieds peuvent vous mener tout droit dans les ennuis. Ou sur le chemin de l'aventure.

Comment ils peuvent apparaître comme un cruel défaut. Ou comme une précieuse qualité.

Chapitre deux

Dans lequel on découvre comment les grands pieds de Menthe lui compliquent l'existence

Menthe est une petite fille très gaie. Elle a des cheveux courts et frisés, et elle porte de grosses lunettes avec des verres très épais. Elle est de taille moyenne, et son poids est normal. La seule chose hors normes, chez elle, ce

sont ses pieds : ils sont tellement grands qu'ils lui compliquent la vie. Par exemple, Menthe hésite souvent à jouer avec ses camarades dans la cour, ou après l'école, surtout s'il faut courir.

Car quand elle court, Menthe trébuche ! C'est un peu comme

essayer de courir avec des skis… C'est vrai aussi qu'elle trébuche de toute façon, même quand elle se contente de marcher. Il suffit qu'elle oublie ses pieds, qu'elle pense à autre chose, et *hop !* Elle se retrouve avec un pied par-dessus l'autre et s'étale de tout son long. D'ailleurs, c'est pour ça que les verres de ses lunettes sont aussi épais : pour éviter qu'ils ne se cassent chaque fois qu'elle tombe. Pareil pour les genoux. Menthe est obligée de porter des genouillères rembourrées, comme les joueuses de volley, sinon elle a vraiment trop de croûtes. Ses coudes aussi sont souvent égratignés... Les genouillères, on peut les cacher sous les vêtements, mais les coudières, on les voit trop. Alors Menthe les laisse à la maison et se retrouve avec les coudes tout abîmés.

À la danse, c'est terrible. Sa maman l'a inscrite pour qu'elle soit comme toutes les autres petites filles, qu'elle grandisse en devenant plus gracieuse.

Sauf que les chaussons de danse pour débutant à sa taille, ça n'existe pas, et il a fallu les faire fabriquer spécialement pour elle.

Et puis c'est tout bonnement impossible de dompter ces longs pieds, d'obtenir d'eux qu'ils obéissent et se plient à toutes les positions exigées par l'art du ballet !

Ils n'en font qu'à leur tête, et Menthe tombe encore plus souvent que dans la vie normale.

La prof, qui est gentille, essaie de faire comme si de rien n'était... mais ses camarades se moquent d'elle.

Menthe s'en fiche. Peu importe ce que disent les autres danseuses. À chaque fois qu'elle tombe, elle en rigole. Car Menthe

a aussi le sens de l'humour. Et tout ça mis bout à bout fait d'elle une enfant merveilleuse, d'une compagnie très agréable.

Le vrai problème, ce sont ses parents. Ils sont obsédés par cette histoire de grands pieds. Ils sont convaincus qu'ils vont lui poser un tas de problèmes dans la vie, d'autant qu'ils n'ont pas l'air de vouloir s'arrêter de pousser.

Les parents de Menthe pensent que leur petite fille, quand elle sera grande, va rester toute seule avec ses grands pieds. Qu'elle sera tellement ridicule que personne ne voudra d'elle.

Ils la traînent donc chez tout un tas de médecins, chez des spécialistes et des charlatans, à la recherche d'un remède qui permette de faire rétrécir ses extrémités... ou du moins qui les empêche de pousser à cette vitesse effrayante !

Menthe, avec une patience d'ange, accepte tous les traitements : les pommades à l'odeur

épouvantable, les bandes imbibées d'huiles dégoûtantes, les crèmes qui piquent la peau.

Car elle sait bien que ses parents font tout ça pour elle, pour son bien.

Elle a essayé de leur expliquer qu'elle était bien comme ça, mais ils ne veulent rien savoir.

Un jour, une drôle de petite bonne femme habillée tout en noir a suggéré qu'elle dorme la tête en bas, pour empêcher le sang d'alimenter la croissance des pieds. Et la pauvre petite Menthe a dormi pendant un mois à l'envers, le dos contre un matelas fixé au mur… jusqu'à ce que sa famille comprenne que ça ne servait à rien.

Une autre fois, un médecin chinois a suggéré de faire comme on faisait chez lui avant : replier les doigts de pieds et les bander très serré, pour qu'ils s'habituent à rester pliés sous la plante des pieds. Mais cette fois, Menthe a refusé.

Et la dernière fois, alors qu'elle se rhabillait après une énième consultation, elle a entendu le docteur chuchoter à ses parents :

— Je suggère la solution chirurgicale.

Là, elle a dit « stop ». Elle sait très bien ce que ça veut dire, la solution chirurgicale : ça veut dire une opération, un bistouri, du sang, des points de suture.

Elle n'a pas l'intention d'accepter cette torture. Elle a donc pris la seule décision possible : s'enfuir de chez elle !

Chapitre trois

Dans lequel Menthe part à la découverte du monde

S'enfuir de chez elle, c'est très bien…

Le problème, c'est que si Menthe part en courant, elle va finir étalée par terre et se faire prendre ! Elle décide donc de s'enfuir par la fenêtre du deuxième étage, où se

trouve sa chambre. Ce n'est pas très difficile : il lui suffit d'enrouler ses pieds autour d'une corde fixée à sa tête de lit.

Une fois en bas, elle s'éloigne très lentement, en veillant à ne pas faire crisser le gravier et à ne pas s'emmêler les pieds.

Il y a une chose que nous n'avons pas encore dite, c'est que Menthe ne porte que des chaussures faites sur mesure. Il n'existe aucune chaussure de petite fille à sa taille. Et ce soir, elle a enfilé une paire de bottes en cuir souple, qui lui plaisent beaucoup, sauf qu'elles sont

noires. Ses parents choisissent toujours des couleurs sombres, ils disent que c'est plus discret. Résultat : Menthe n'a jamais eu de souliers roses ou bleus, ni même brillants.

Et donc, la première chose qu'elle fait une fois qu'elle est loin de chez elle, c'est de faire peindre ses bottes en rouge !

— Drôle d'idée ! commente le cordonnier. Des souliers comme ça, j'en ai vu seulement dans les contes de fées, et encore, aux pieds d'un chat…

Avec ses grands pieds, Menthe a fait beaucoup de chemin en très

peu de temps, un peu comme le chat botté du conte dont parlait le cordonnier. Elle sait qu'elle a une certaine avance sur ses poursuivants. Et c'est très utile,

vu qu'elle n'a pas la moindre idée d'où elle va aller ni de ce qu'elle va faire ! Dans un petit sac en bandoulière, elle a glissé quelques pièces d'or et d'argent, un peu de linge propre, et son porte-bonheur, un pendentif en forme de pied, cadeau d'un oncle blagueur. Bref, elle n'a pas grand-chose.

Les sous sont faits pour être dépensés, ils voyagent vite et disparaissent tout aussi vite. Avec quelques vêtements de rechange, on ne va pas très loin dans la vie. Quant au pendentif, eh bien c'est une sorte de plaisanterie, accrochée au cou de la petite fille aux pieds les plus longs qu'on ait jamais vus.

Mais Menthe est très calme. Et ça, c'est très important quand on part à l'aventure : il ne faut pas se disperser.

Menthe paie le cordonnier, enfile ses bottes rouges, et repart, en faisant bien attention à ne pas marcher dans les flaques.

Maintenant qu'elles sont rouges et voyantes, ses bottes sont un peu comme un drapeau pour elle. Elles veulent dire :

— Regardez, j'ai de grands pieds. Et alors ? C'est parce que

je suis spéciale. Parce que j'ai quelque chose que vous n'avez pas.

Et c'est vrai.

Chapitre quatre

Dans lequel Menthe trouve un travail, puis l'abandonne

C'est tellement vrai que lorsqu'elle finit, après avoir traversé quelques villages, par buter contre la petite caravane d'un cirque ambulant, elle n'a aucun mal à convaincre le directeur du cirque de l'embaucher. Elle n'a

pas besoin d'ouvrir la bouche : ses grands pieds rouges parlent pour elle.

Les enfants du cirque lui installent un espace où elle pourra s'entraîner à faire des choses avec ses pieds : comme écrire dans le sable avec son pouce, saluer en pliant les orteils, porter sur ses plantes de pieds une pyramide humaine faite de trois petits garçons les uns sur les autres. Mais surtout, surtout, marcher sur un fil.

Menthe découvre qu'elle est très forte en équilibre sur une corde tendue entre deux piquets.

CIRQUE

Même quand il lui arrive de tomber, elle atterrit sans problème sur ses deux grandes palmes, sans avoir besoin de rouler dans le sable.

Le plus beau, c'est que pour la première fois de sa vie, Menthe a des amis. Des enfants comme elle qui ne se moquent pas de ses grands pieds. Au contraire, ils sont même un petit peu jaloux...

Le plus jeune des trois frères acrobates est même venu lui demander si elle connaissait une manière de faire pousser les pieds.

— Je voudrais tellement les avoir comme toi ! Je pourrais inventer

des numéros super beaux !

Menthe se contente de hausser les épaules :

— Je suis née comme ça.

Menthe aime beaucoup les trois frères, qui sont plus jeunes qu'elle. Fils et petits-fils d'acrobates, ils sont souples et agiles comme des chats. Ils n'ont plus de maman, alors Menthe leur sert un peu de maman. Elle leur raconte des histoires avant d'aller au lit, et puis, quand ils ne s'entraînent pas, elle leur apprend à faire des gâteaux. Elle sert de chef de bande au cours de leurs excursions dans la forêt.

Menthe découvre qu'elle est aussi très bonne pour grimper aux arbres. Ensemble, ils sautent d'une branche à l'autre, en imaginant plein d'aventures fantastiques.

— Tu es notre grande sœur ! disent les trois garçons.

Et Menthe est très, très heureuse.

Après de nombreuses répétitions, Menthe est enfin prête à faire son numéro en public ! Personne n'a jamais vu une fillette avec des pieds aussi grands. Et elle est tellement douée pour danser sur le fil !

Son numéro est très original. Du coup, le cirque fait salle comble à chaque fois qu'il arrive quelque part. Menthe voyage de ville en ville, de village en village. Les journalistes commencent à parler d'elle, et comme les nouvelles vont vite, Menthe a peur que quelqu'un ne fasse le rapprochement entre une fillette aux grands pieds qui s'est enfuie de chez elle et une fillette aux grands pieds devenue la nouvelle étoile du cirque Massimo…

Elle comprend qu'elle doit s'en aller.

Le cœur lourd, une nuit, après

avoir attendu que les trois petits acrobates se soient endormis, elle prépare son minuscule sac et s'en va, glissant sans bruit hors de la roulotte.

Sur le triple lit superposé décoré comme un château fort, elle accroche son pendentif en forme de pied. La seule chose qu'elle peut offrir aux trois garçons qui sont presque comme des frères : un souvenir.

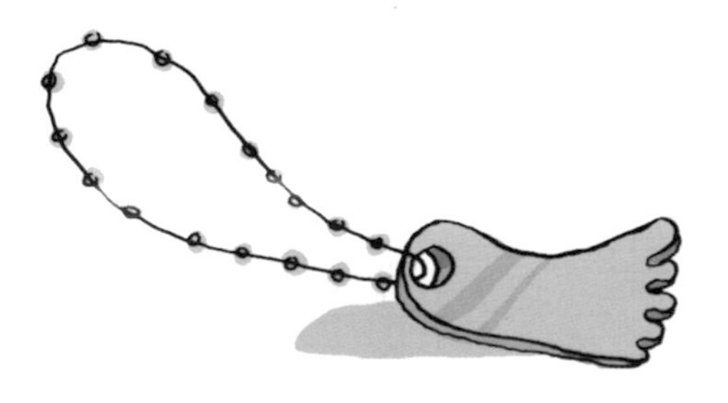

Chapitre cinq

Dans lequel on apprend tout ce qui arrive au cirque après le départ de Menthe, et comment elle trouve un nouveau travail

Il était temps ! Après avoir engagé un détective privé, les parents de Menthe se sont décidés à mener eux-mêmes l'enquête. Ils ont fermé la maison et ont suivi la maigre piste laissée par leur fille.

C'est presque par hasard qu'ils arrivent au cirque Massimo. C'est par désespoir qu'ils décident de s'y arrêter et de regarder le spectacle, pour se distraire un peu.

Et c'est avec effroi, rage et désespoir qu'ils découvrent le fameux petit médaillon en forme de pied, brillant au cou du plus jeune des trois frères acrobates, perché au sommet d'une pyramide humaine.

— Arrêtez tout ! C'est un vol ! crie le papa en se levant tout à coup dans les gradins, sans se rendre compte qu'il vient de dire une chose absurde.

Ce qu'il voulait dire, c'est que quelqu'un avait enlevé sa fille, mais ça sonne plus comme si c'était lui le voleur !

Le public, effrayé, s'enfuit en poussant des cris de terreur,

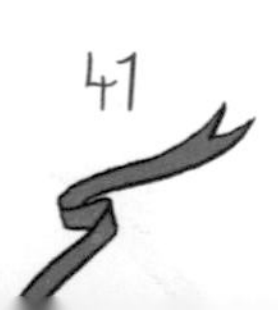

dans la confusion la plus totale. Le directeur du cirque, furieux, se plante devant lui, l'attrape par le col et se met à crier :

— Comment osez-vous interrompre mon spectacle ? Vous n'êtes même pas armé !

— C'est vous, le voleur ! répond le papa en montrant le cou du petit acrobate. Où est ma fille ? Qu'est-ce que vous lui avez fait ? Rendez-moi mon bébé !

Les choses finissent par s'arranger, et les trois acrobates parlent de Menthe, de sa gentillesse, de ses pieds extraordinaires qui lui permettent d'être tellement

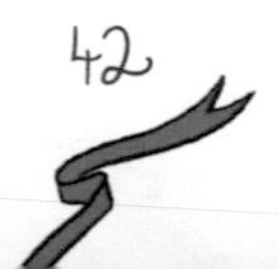

agile et différente.

— Eh oui, différente… murmure la maman de Menthe.

— Différente, en effet, répète le papa.

Doucement, comme s'ils avaient besoin de se confier, comme s'ils se sentaient un peu coupables, ils se mettent à raconter toute l'histoire de Menthe et de ses grands pieds. Les gens du cirque les écoutent attentivement, quoique avec un peu d'étonnement.

— Mais nous, nous *aimons* être différents, dit la femme canon.

— Nous, nous *devons* être dif-

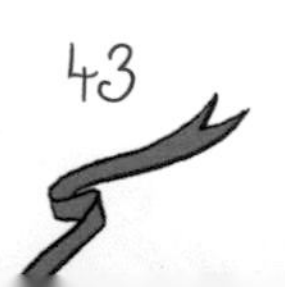

férents, ajoute l'homme-serpent, tellement fin qu'il peut se glisser dans la moindre fissure.

— Oui, d'accord, se défend le papa. Mais vous, vous êtes un cirque. Vous êtes forcément un peu étranges. Dans la vraie vie, c'est quand même mieux d'être normal.

— Ce n'est pas vrai ! répondent en chœur tous les autres. Les gens normaux sont ennuyeux.

Les parents de Menthe se regardent, et la maman murmure :

— Peut-être que c'est vous qui avez raison…

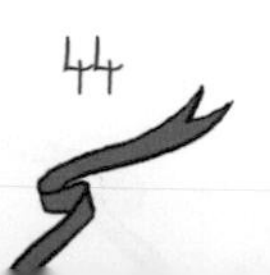

Et c'est avec ce doute en tête que dès le lendemain, ils se remettent en route, bien décidés à retrouver leur étrange petite fille et à l'aimer, exactement comme elle est.

Mais Menthe, sur ses grands pieds, est déjà loin. Elle a marché jusqu'à la rive d'un très large fleuve. L'autre rive est tellement éloignée qu'on se croirait au bord d'un lac. Elle enlève ses bottes rouges, ses chaussettes, et cherche à traverser. Rapidement, elle se rend compte que c'est très

facile ! Ses grands pieds déchaussés se posent sur l'eau comme les pattes d'une grenouille, ou les feuilles d'un nénufar, et elle se déplace sur l'eau avec vitesse et légèreté.

Une fois de l'autre côté, elle voit venir à sa rencontre une foule de pauvres gens. Ce sont les habitants du village au bord du fleuve.

— Dis donc ! Tu es très forte !

— Nous t'avons vue arriver, légère comme une libellule.

— Oui ! Ou comme un papillon.

— Libellule, papillon, peu importe ! Je n'ai jamais vu personne filer sur l'eau à une telle vitesse !

— Si on pouvait le faire, nous aussi, on pourrait aller de l'autre côté, vendre nos fruits et nos

légumes à la ville !

— Alors qu'on doit attendre le passeur, qui ne vient que deux fois par mois !

— C'est pour ça qu'on est aussi pauvres !

— Mais toi, petite fille... tu pourrais rester avec nous...

— Et nous faire passer de l'autre côté.

— Il suffirait d'un radeau...

— Et tous nos problèmes seraient résolus.

Menthe comprend que ces gens ont besoin d'elle, et qu'elle doit à nouveau s'arrêter.

Les habitants du village fabri-

quent un grand radeau, relié à deux cordes solides que Menthe peut faire passer autour de ses épaules, comme les deux bretelles d'un gros sac à dos. Comme ça, elle peut tirer le radeau de l'autre côté du fleuve.

Certes, elle doit d'abord s'entraîner un peu, et surtout, il ne faut pas que le radeau soit trop chargé, sinon Menthe n'arrive pas à rester à la surface de l'eau, et elle coule. Ensuite, il faut trouver la bonne vitesse. Ainsi que le meilleur endroit pour passer, en fonction des tourbillons et des courants.

Mais Menthe se rend compte qu'à condition de ne charger qu'un seul paysan à la fois, avec ses choux, ses carottes, ses pommes de terre, ses salades et ses fleurs fraîches, elle peut le faire.

Pendant que le paysan vend sa récolte au marché, Menthe l'attend en tressant des paniers en osier, qu'elle donne ensuite à une autre des villageoises pour qu'elle les vende. Elles partagent le bénéfice, comme ça, Menthe travaille un peu pour elle et un peu pour les autres.

À la fin de la journée, elle

ramène le villageois, et le lendemain, c'est au tour d'un autre.

En échange, elle a une petite maison à la sortie du village où elle peut se reposer après ces dures journées de travail.

Très vite, les habitants du village font de bonnes affaires et améliorent leur quotidien. Ils rénovent leurs maisons, s'achètent de nouveaux vêtements, prennent des animaux de compagnie, et ils peuvent même payer un maître d'école pour faire la classe à leurs enfants.

Mais un jour, un homme se présente au village. C'est un vrai

passeur, avec une vraie barque. Il est fort et prêt à travailler dur contre une cabane et de quoi se nourrir. D'abord, les villageois ne font pas attention à lui, car ils sont très contents de Menthe.

Mais elle leur dit :

— Pour moi, c'est le moment de repartir. Soyez tranquilles. C'est la meilleure solution pour tout le monde.

Et c'est ainsi qu'elle dit au revoir à ces braves gens et se remet en route.

Chapitre six

Dans lequel Menthe aborde sur une île déserte et joue les Robinson sans même le savoir

Quand les parents de Menthe arrivent au village, elle est partie depuis trois jours. Mais trois jours sur des pieds aussi grands, ça vaut quinze jours de voyage ! Menthe a de nouveau une belle avance sur eux. D'autant qu'ils

n'ont pas la moindre idée de ce qu'elle a décidé de faire…

Pour être honnête, Menthe non plus. Elle sait seulement que son cœur n'est pas encore guéri et qu'elle n'a pas envie de revenir en arrière. De temps en temps, en pensant à ses parents, elle éprouve une nostalgie qui lui serre la gorge. C'est sûr qu'ils doivent être tristes. Mais peut-être que non : peut-être qu'ils sont seulement soulagés de s'être débarrassés de leur drôle de fille… Alors Menthe continue son voyage solitaire.

Elle marche, marche, et finit

par arriver au bord de la mer. C'est la première fois qu'elle voit la mer, et elle reste pendant des heures émerveillée par le spectacle de cette immense étendue d'eau qui roule jusqu'à ses pieds et lui lèche les chevilles comme un petit chien. Puis elle se dit : « Si je peux marcher sur les eaux d'un fleuve, je peux le faire sur la mer, non ? »

D'ailleurs, c'est encore plus facile sur la mer : ses grands pieds fonctionnent un peu comme les coques d'un catamaran.

Le vent fait gonfler son manteau, et elle essaie de le retenir

avec ses mains. Alors son manteau se transforme en voile, et Menthe se retrouve à naviguer sur les flots, la tête dans le vent et dans le soleil, les jambes battues par l'écume, libre et heureuse.

Une fois de plus, elle se dit que ses pieds sont vraiment prodigieux, puisqu'ils lui permettent de faire de telles choses.

Sur la plage, il y a une petite foule rassemblée pour observer ce drôle de bateau qui file à toute vitesse sur les vagues, de plus en plus vite vers le large...

— Je vous dis que c'est une enfant ! insiste un petit garçon, qui est l'un des premiers à l'avoir vue.

Mais personne ne veut le croire. Une petite fille navigatrice ? Une petite fille bateau ? Une petite fille à voile ?

Quand les parents de Menthe, de plus en plus découragés, arrivent à leur tour sur la plage, il y a beaucoup de gens pour leur dire que oui, en effet, ils ont vu une petite fille très étrange passer par là. En fait de passer par là, il serait plus juste de dire qu'elle a filé, glissé, et qu'elle est loin déjà.

Menthe est tellement loin que la plage n'est plus qu'une ligne tracée au stylo bleu pâle. Devant elle, la mer, à perte de vue. Menthe n'aurait jamais imaginé qu'il puisse y avoir autant de mer ! Et puis, elle est fatiguée. Elle voudrait tellement s'asseoir.

Impossible ! S'arrêter ? Impossible ! Alors Menthe décide de tenir bon. Heureusement d'ailleurs, car sa persévérance est récompensée. Elle aperçoit soudain à l'horizon une petite boule bleue. Plus Menthe s'approche, et plus la boule grossit. C'est une île surmontée d'une minuscule forêt.

Menthe accoste sur la plage, ses pieds glissant sur le sable blanc et chaud. Elle peut enfin lâcher les pans de son manteau et se dégourdir les bras. Elle essaie de marcher, mais elle a les jambes tellement raides qu'elles ne la portent plus ! Alors Menthe se laisse tomber sur le sable. C'est joli ici, c'est calme. Menthe s'endort, bercée par le bruit des vagues, à l'abri sous son manteau.

Elle se réveille le lendemain matin. Le soleil fait briller la surface de l'eau, il réchauffe le monde alentour et les joues de Menthe.

Elle aurait de quoi se décourager, puisqu'elle est naufragée sur une île déserte... Mais comme elle ne le sait pas, elle prend ça comme une nouvelle étape de l'étrange aventure qu'elle vit depuis qu'elle a quitté sa maison.

Elle repense avec un sourire à ses leçons de danse, et avec une grimace à la ribambelle de médecins et à leurs remèdes idiots. Tout ça est tellement loin que Menthe se demande si ça a vraiment existé. Aujourd'hui est un jour nouveau, et ici, sur cette île, tout reste à découvrir.

C'est dommage que ce soit si petit : il suffit d'une heure à Menthe pour en faire le tour ! Il y a une source d'eau douce au sommet de la colline, et les arbres sont chargés de fruits à l'allure étrange, mais bons et sucrés. Et puis il y a une petite

chèvre blanche, qui s'approche comme si elle connaissait Menthe depuis toujours et qui fourre son museau dans le creux de sa main. Une chèvre, ça donne du lait. Menthe parvient donc à faire un excellent repas.

Les jours passent, tranquilles et un peu monotones. Il n'y a pas grand-chose à faire sur une île aussi petite. Menthe peut quand même tresser de jolies guirlandes avec les fleurs exotiques qui poussent sur les arbres. Puis elle consacre une semaine entière à se fabriquer une cabane. Non pas qu'elle en

ait vraiment besoin – il fait plutôt chaud sur l'île –, mais c'est très agréable de se construire un chez-soi. Elle joue aussi avec la chèvre, et de temps en temps elle s'amuse à faire le tour de l'île en patinant sur l'eau, juste pour ne

pas perdre l'habitude. Tout ça lui laisse beaucoup de temps pour réfléchir et rêver, deux choses pour lesquelles Menthe est très douée.

Réfléchir à sa vie. Avant, quand elle vivait avec ses parents, elle se sentait prisonnière... Mais depuis qu'elle s'est échappée, elle est libre, et sa vie est pleine de surprises, d'aventure !

Rêver à une autre existence. Une existence où sa mère et son père sauraient l'accepter telle qu'elle est, sans être obsédés par ses pieds. Où ils feraient tous ensemble des choses que les parents font avec leurs enfants : s'amuser, partir en balade ou au contraire rester à la maison, tranquilles. Bref, ils s'aimeraient sans se compliquer la vie.

Jamais elle ne se dit que les choses auraient été différentes si elle avait eu de petits pieds. Et elle a bien raison. Elle est née comme ça, inutile de perdre son temps sur ce qui aurait pu être et n'a pas été. Et puis, répétons-le, elle les aime, ses pieds. Ils l'ont emmenée partout, grâce à eux elle a découvert des merveilles qu'elle n'avait même pas imaginées.

Un jour, une bouteille s'échoue sur la plage. C'est une bouteille en verre, fermée par un bouchon de liège. Il y a une feuille à l'intérieur. Avec un message pour elle.

Chère Menthe, où que tu sois, si tu as ce message, s'il te plaît, rentre à la

maison. Nous t'aimons comme tu es. Nous avons entendu parler de toutes les belles choses que tu as accomplies. Nous avons eu tort. Nous t'aimons tout entière, même tes pieds, et nous avons hâte de te serrer dans nos bras.

Maman et Papa.

C'est une lettre tendre et émouvante, et on comprend qu'elle a été écrite avec le cœur. Mais Menthe n'est pas encore tout à fait prête à rentrer chez elle. Et puis il y a une chose, une seule, qui ne lui plaît pas dans ce message : c'est l'allusion à ses pieds.

Quand elle aperçoit une petite tache blanche à l'horizon, qui, en grossissant, se révèle être un bateau, elle se doute qu'à l'intérieur, il y a ses parents. Elle salue la petite chèvre, empoigne les pans de son manteau, entre dans l'eau et file dans la direction opposée.

Quelques heures plus tard, elle aborde sur une nouvelle plage. Cette fois, il ne s'agit pas d'une île, mais bien d'un continent. Et il n'est pas désert, au contraire ! Il y a plein de gens, qui la regardent avec gentillesse. Une femme lui passe une cou-

verture autour des épaules, et Menthe s'y enroule volontiers, car elle a eu un peu froid à cause du vent. Une autre femme lui parle, dans une langue qu'elle ne comprend pas. Alors elles communiquent avec des gestes, et la femme l'emmène chez elle, dans une jolie chambre d'ami sous les toits. Après avoir bu une tasse de lait chaud, Menthe s'endort, épuisée. Mais avant de s'endormir, elle a juste le temps de se rendre compte d'une chose extraordinaire : personne n'a fait allusion à ses pieds ! Il faut dire qu'elle était vraiment morte de fatigue. Sinon elle aurait remarqué que dans ce pays, tout le monde a de grands pieds. Exactement comme elle.

Chapitre sept

Dans lequel Menthe découvre qu'on peut être pareils, ou différents, mais que dans le fond, ça ne change rien

Le lendemain matin, après une bonne nuit de sommeil et une douche bien chaude, Menthe découvre enfin qu'elle a débarqué au pays des grands pieds. Dans la rue, les passants s'inclinent sur son passage, et ils mon-

trent du doigt ses bottes rouges. Le cuir est un peu attaqué par le sel, mais elles sont encore bien brillantes. Tout le monde parle d'elle. De cette petite fille arrivée la veille.

— Oui, c'est une des nôtres, même si elle ne parle pas notre langue.

Ici, les enfants, même les tout-petits, ont des pieds qui ressemblent à des nageoires. Et les grands se déplacent en sautillant (pour éviter de trébucher) car leurs pieds sont immenses. Ici, la taille des pieds n'est un problème pour personne. Il y a des écoles

de danse et de merveilleux magasins de chaussures de toutes les couleurs. Bref, tout est normal. À tel point que Menthe finit par se sentir un peu déçue. Quoi ?

Les gens ne la regardent plus comme une étrange fleur exotique ? Quoi ? Ils ne commentent pas discrètement la taille de ses pieds ? Ils ne la trouvent pas bizarre, différente, originale ?

En descendant vers le port, sur la plage, Menthe découvre que les enfants patinent tous sur l'eau, comme elle. Pour eux, c'est un jeu banal, qui n'a rien d'extraordinaire.

Heureusement, Menthe découvre bientôt tout ce qu'on peut faire avec une paire de grands pieds : par exemple, il y en a qui, au lieu de marcher, sautent comme des kangourous. Et les habitants du village sont aussi très doués pour jouer au foot. Mais un foot un peu particulier, où il faut faire tenir le ballon en équilibre entre les chevilles et le pied avant de le lancer en l'air et de le frapper avec

la pointe de la chaussure. Celui qui garde la balle en équilibre le plus longtemps fait gagner des points à son équipe. Il est clair que pour tous les habitants de ce village, les grands pieds sont une chance.

« Je me demande ce que diraient mes parents s'ils voyaient ça », pense Menthe. Puis, tout de suite après : « Ça y est, je pense encore à eux ! ». Pour ne pas se laisser gagner par la nostalgie, Menthe décide de repartir.

Ses nouveaux amis lui donnent un sac plein de bonnes choses, des vêtements de rechange, un

bonnet de laine, et lui disent au revoir. Ils lui ont montré sur la carte une route qui grimpe et grimpe encore dans les collines, jusqu'à une montagne. Menthe traverse des forêts fraîches et odorantes, puis elle arrive au pied d'un sommet enneigé. Elle

trouve un refuge où s'abriter à la nuit tombée. C'est une petite cabane en bois ouverte à tous ceux qui en ont besoin. Dans la cheminée, il y a des bûches toutes prêtes et une allumette pour faire un feu. Dans la réserve, il y a des provisions, du fromage et des galettes, ainsi que des bouteilles d'eau. Dans la chambre, il y a huit couchettes superposées, avec chacune leur couverture.

Le lendemain matin, quand elle se réveille, Menthe prend son petit déjeuner en regardant par la fenêtre, et elle voit un homme et une femme qui

dévalent la pente en glissant sur leurs grands pieds. Ils ont l'air de beaucoup s'amuser ! Menthe a très envie d'essayer, elle aussi… Au bout de quelques heures, elle skie parfaitement. Une fois en bas de la pente, elle remonte jusqu'au sommet, puis elle recommence, encore et encore, jusqu'à la tombée de la nuit. Ensuite, elle rentre au refuge. Elle est fatiguée, elle a mal aux jambes, mais elle est heureuse. C'est à ce moment-là, alors que le soleil couchant repeint les montagnes en rose, qu'elle entend un bourdonnement au-dessus de sa tête. Elle lève les yeux et aperçoit un petit avion de tourisme avec une longue banderole en tissu. Voici ce qu'elle disait : « Menthe, reviens, nous t'aimons ».

Pas de signature, mais ce n'est pas la peine.

Menthe se couche tôt, ce soir-là. Et elle s'endort immédiatement. Elle est heureuse. Heureuse, car elle a trouvé une nouvelle chose à faire avec ses pieds.

Heureuse, car elle a compris qu'il était temps de rentrer chez elle. Désormais, plus personne ne pourra lui ôter de la tête que ses pieds sont un don extraordinaire. Et elle sait que ses parents, eux aussi, l'ont compris.

Le lendemain matin, Menthe fait son sac et se remet en route, mais cette fois dans l'autre sens : direction la maison. Et c'est une autre découverte : avec de grands pieds, on peut partir très vite et très loin quand on en a envie, mais on peut aussi revenir en arrière, quand on a décidé que c'est le bon moment.

Menthe, qui ne s'est jamais pressée, même dans les moments les

plus dramatiques de sa fuite, se met à courir, courir, courir, vers sa maison, vers son papa et sa maman. Car elle a besoin d'eux. Le vaste monde, c'est beau, mais rentrer chez soi, c'est bien aussi. À présent qu'elle sait qu'elle a le droit d'être entièrement elle-même, pieds compris, elle a hâte de le devenir et de le rester pour toujours.

Bien sûr, quand elle arrive à la maison, ses parents n'y sont pas. Ils sont encore en train de courir le monde à sa recherche. Alors Menthe passe un appel à la télévision, pour leur dire qu'elle est rentrée et qu'elle les attend.

Une semaine plus tard, Menthe peut enfin les embrasser. Ils la trouvent changée. Elle a grandi, mais surtout elle est beaucoup plus sûre d'elle. Elle, elle les trouve un peu plus fragiles et souriants, mais surtout

tellement, tellement tendres. Comme jamais ils ne l'ont été.

Puisque cette histoire est un conte, il faut bien une fin heureuse, et c'en est une. Même si ce n'est pas tout à fait facile pour Menthe de se réadapter à sa vie d'avant. D'autant qu'elle est la seule de son pays à avoir d'aussi grands pieds. Mais aujourd'hui, plus personne ne s'en moque, de ses grands pieds. Au contraire. On a entendu parler de ses aventures et elle est traitée en héroïne.

De temps en temps, Menthe retourne à la mer et à la montagne faire du ski. Bien vite, elle lance la mode, et on invente de nouveaux sports : le ski nautique et le ski. Menthe prend aussi des leçons de danse, et elle devient très forte. Car on peut tout faire, à condition d'en avoir vraiment envie. Et ce n'est pas une paire de grands pieds qui vous en empêchera !

Au contraire. Ils sont là pour vous emmener loin. On le sait. Et maintenant, Menthe le sait aussi.

FIN

Découvre la première héroïne
dans Belle, intelligente et courageuse 1
Agathe et les miroirs menteurs

Dans ce premier tome, Agathe, une jeune princesse, parcourt le royaume dans l'espoir d'inverser un terrible sort. La Reine, sa mère, est dévastée : les miroirs reflètent l'inverse de la vérité. De magnifique, elle est donc devenue atrocement laide. Et ça, elle ne peut pas le supporter... Agathe réussira-t-elle à sauver sa maman et son Royaume ?

Retrouve bientôt une nouvelle héroïne dans Belle, intelligente et courageuse 3 : Le cadeau d'Uma

Uma est la benjamine de sept frères, et la seule fille. Son père, le Roi, doit choisir son successeur. Il propose une épreuve à ses enfants : celui qui lui rapportera le cadeau idéal sera désigné. Uma part dans la savane, bien décidée à prouver qu'une fille peut devenir roi !

Table

« Pour l'éditeur, le principe est d'utiliser des papiers composés de fibres naturelles, renouvelables, recyclables et fabriquées à partir de bois issus de forêts qui adoptent un système d'aménagement durable.
En outre, l'éditeur attend de ses fournisseurs de papier qu'ils s'inscrivent dans une démarche de certification environnementale reconnue. »

Imprimé en Roumanie par G. Canale&C. S.A.
Dépôt légal : mars 2012
20.20.2908.0/01 ISBN : 978-2-01-202908-8
Loi n° 49956 du 16 juillet 1949
sur les publications destinées à la jeunesse